JN062029

やっぱり犬がほしい

スギヤマカナヨ

ぼくは、犬(いぬ)がだいすき。
近所(きんじょ)の犬(いぬ)たちとはみんな友(とも)だちだし、
犬(いぬ)とくれば、なんだって集(あつ)めちゃう。
シールに切手(きって)、クッキーのかんに、くつ下(した)、バッジ。

ぬいぐるみだって、たくさん持っている。
とくにお気に入りは、この犬。パルっていうんだ。

でも、頭をなでてもしっぽをふらないし、
さんぽもできない。
パルのことはだいすきだけど、パルは本物の犬じゃない。

ある日のばんごはん。おもいきっていってみた。
「お父さん、お母さん、ぼく、犬がほしいんだ」
「犬?」
お父さんが、なんていうのかドキドキした。
「うん、ずーっと前から考えていたんだ。
そのために、いろんなじゅんびもしてきたんだよ」
「犬かぁ。うーん、そうだなぁ」

「お父さんも犬はすきだけど、犬をかうってたいへんだぞ。
まずはさんぽだ。
犬のさんぽは朝ばん2回、しかも毎日だ。
いっておくけど、お父さんはあてにならないぞ。
ジョギングだって、3日しかつづかないんだから。
なにしろ、朝はお父さんもお母さんもいそがしい。
おまえはねぼすけ。
いったい、だれがするんだい?」

「もちろんぼくさ。
毎朝6時に起きて、学校へ行く前にさんぽに行く。
夕方のさんぽもぼくが行く。
夏休みだって、早起きするよ。
いっしょにクワガタをさがすんだ。
早起きが楽しみになるよ。
そうだ、お父さんも犬といっしょなら
ジョギングがつづくかもしれないよ」

「犬をかうって、けっこうお金がかかるのよ」
と、今度はお母さん。
「さんぽのひもや首輪とか、
そろえなきゃいけないものがたくさんあるし、
予防注射なんかもひつようなんでしょ」
「ひつようなものは、ぼくのおこづかいで買うよ。
足りない分は、お年玉のちょきんをつかえばいい。
予防注射のことは、じゅういさんにきいてくる」

「大きい犬だと、えさ代もかかるらしいわよ。
それでなくても、うちにはくいしんぼうが
3人もいるんだから。
きっと、犬もかい主ににて、
くいしんぼうになるにきまってる」
「それなら、だいじょうぶ。
ドッグフードのパンフレットもいっぱい集めてあるんだ。
からだによくて、安いドッグフードにすればいいよ！」

次の日、ぼくは6時に起きた。
これから毎日早起きの練習をすることに決めたんだ。

「犬をかったら、旅行に行けなくなるなぁ。
るすばんさせておくわけにはいかないからね。
いっておくけど、お父さんだけ
犬の世話でるすばんなんてごめんだぞ」

「犬もいっしょにとまれるホテルがあるって、
前にテレビでやっていたよ。
それに、キャンプならいっしょにつれて行けるでしょ?
犬とキャンプなんてわくわくしちゃうよ。
でも、もしどうしてもつれて行けないときは、
だれかにおねがいするよ。

まーちゃんちにも犬がいるんだ。
旅行に行くときは、交代で
めんどうみようっていってみる」

次の日、ぼくはまーちゃんに犬のことをたのんでみた。
まーちゃんは、いいアイデアだっていってくれた。
もちろん、かってからの話だけど。

「うちの中でかったら毛もぬけるだろうし、
おそうじがたいへんよ。
でも、どろんこ足で家にあがるだれかさんよりは、
ましかもね。
それに、あらってやったりもするんでしょ?
ひとりでできるの?」

「おそうじなら、ぼくにまかせて。
毎日(まいにち)ブラシもしてあげる。
おふろは子犬(こいぬ)のうちからならしてあげれば、
おふろずきになるよ。
ぼくも足(あし)をちゃんとふくから」

次の日、げんかんでどろんこの足をふくのを
わすれなかった。

「犬はいたずらもするからなぁ。
とくに子犬のころは、なんでもかんでだめにする。
ゴルフクラブだけはかんべんしてもらいたいな。
おまえのおもちゃだってこわすかもしれないぞ」

「大事なものは、
犬のとどかないところにおけばだいじょうぶ。
子犬がかむのは、歯がはえはじめてかゆいからなんだ。
かんでもいいおもちゃを買ってあげるよ。
やっちゃいけないこともちゃんと教える」
「それじゃあ、犬におもちゃをこわされないように、
まず自分の部屋をかたづけなきゃな」

次の日、ぼくは自分の部屋をきれいにかたづけた。

「犬をしつけるって、たいへんよ。
犬は人間のことばを話せないんだから」

「ぼくが犬の気持ちをわかるようになるよ。
犬はなきかたや、目や耳、しっぽ、全身をつかって
気持ちをひょうげんするんだ。
きっと、犬もぼくの気持ちや言葉だって
わかるようになると思うな」

「お母さんもね、犬はきらいじゃないし、
いたら楽しいだろうなって思うわ。
でも、お母さんは犬をかったことがないから心配なの。
かってから、いろいろ問題がでてきたらこまるでしょ」

「だいじょうぶ！
ぼく、ずっと犬のノートを作っているんだ。
しゅるいだって300くらい書いてある。
せいしつや犬のそせんも調べたんだ。
学校の図書館の犬の本はぜんぶかりたよ。
わからないことはなんでもぼくにきいてよ」

次の日、日曜日だったけど、
ぼくは6時に起きた。
お父さんも6時に起きて、
ふたりでさんぽにでかけた。
いろんな人が犬とさんぽをしていた。

「お父さんも子どものころ、
ロクっていう犬をかっていたんだ。
ロクは保護犬で、3頭の兄弟と、
ロクのお母さんもいっしょに保護されていたんだよ」
「保護犬？」
「うん、すてられたり、かえなくなったり、
行き場がなくて保護されている犬さ。
ロクは近所で保護犬の世話をしていた
ボランティアさんからひきとったんだ」

「うちに来たばかりのときは
さみしがってひとばんじゅうないてね、
まくらともうふをもっていって、
ロクのそばでねてやったんだ。
だから、お父さんによくなついてね、
かわいくてたまらなかったよ」
「いいなぁ。
それなら、お父さんだって犬をかいたいでしょ？」

「おまえはよく知っているだろうけど、
犬のじゅみょうは15年くらいだ。
病気をしたり、年をとれば世話もたいへんになる。
そして、いつかかならず死んでしまう。
お父さんもロクが死んだときはずいぶんないたよ。
犬をかうということは、
死ぬまでいっしょにいるということなんだ」

ぼくはそのばん、
お父(とう)さんにいわれたことをいろいろ考(かんが)えた。

そして、まだあったこともないぼくの犬(いぬ)が
死(し)んだときのことを想像(そうぞう)して、
パルをだきしめながらないた。

次の朝、ぼくはお父さんとお母さんにいった。
「ぼく、やっぱり犬がほしい！」

「そうか、やっぱりか」と、お父(とう)さん。
「やっぱりね」と、お母(かあ)さん。
「うん！　やっぱりだよ」と、ぼく。

それからしばらくして、
ぼくたちは保護犬(ほごけん)をゆずってもらえる
「じょうと会(かい)」にさんかした。
そこには大(おお)きい犬(いぬ)、小(ちい)さい犬(いぬ)、毛(け)の長(なが)いシーズーや、
しば犬(いぬ)、たくさんの犬(いぬ)がいた。

ぼくはひとめでわかった。
この子がうちに来たがっているって。

その犬は前のかい主が、
ひっこしでかえなくなって保護されたんだって。
名前はフウ。
とっても人なつっこい。
きっとかわいがられていたんじゃないかな。
……それなら、どうして?
フウの気持ちを考えると、悲しくなった。
そして、ぜったいにつれて帰りたいと思った。

ぼくたちは3週間のトライアルをすることになった。
トライアルというのは、おたがいうまくやっていけるか、
おためし期間ということ。
フウはあんまりフウって感じじゃない。
はじめて会ったとき、パルだ、って思ったんだ。
だからやっぱり、パルってよぶことにした。

パルは、さいしょはちょっとふあんそうだったけれど、
すぐになれて、
新しいベッドもおもちゃも気に入ってくれた。
くいしんぼうで、
ぼくたちがごはんを食べていると、
なにか落ちてこないか
テーブルの下で待ちかまえている。

お母(かあ)さんがリンゴをむいていると、
ちょうだい、ちょうだいっておねだりしに行(い)く。
リンゴがすきな犬(いぬ)なんてきいたことがないよ。
そして、おなかがいっぱいになると、
あおむけになってねるんだ。

トライアルがおわるころ、
ぼくたちはもうパルなしじゃいられないほど、
パルがすきになっていた。
きっとパルもそうだったと思(おも)う。
パルは、ぼくたちの家族(かぞく)になったんだ。

「おいで、パル」

だいすきなぼくのパル。
ずっとずーっといっしょだよ。

やっぱり犬がほしい

スギヤマカナヨ

パルがいる日々(ひび)は、
ぼくが想像(そうぞう)していたより
ずっとずーっと楽(たの)しくて、
すてきだった。

BIRTHDA

パルとくらしてみて、わかったことがある。
ぼくとパルの時間は、
ぜんぜんちがうってこと。
ぼくが大きくなっていくあいだに
パルはどんどん年をとっていった。

でもパルは元気だったし、
まだまだずっと元気だって、
自分にいいきかせてきた。

でも、ぼくは気づいていた。
パルの毛が白っぽくなって、目もにごってきたこと。
耳も遠くなって、すきだったさんぽのよびかけにも
すぐに体を起こせなくなっていったこと。

ごはんも食べなくなって
ずいぶんやせた。

そして先週、ねているうちにしずかに旅立った。
年をとっていたから、
もうすぐこんな日がくるかもしれないって思っていたけれど、
思っていたのと、
じっさいにそうなるのとはぜんぜんちがう。

なにをみても悲しいんだ。
家の中のあちこちにまだパルがいる。
ゆかをチャッチャッと歩く音がきこえる気がするし、
げんかんのチャイムがなると、ほえる声を待っている。
ボウルもベッドも見るとつらいけど、
かたづけることなんてできない。

いっしょにさんぽした道も歩けない。
近所のねこをみても、すずめをみても、
しんごうきをみても、
なみだがこみあげてくる。
世の中の人が楽しそうにわらったり、
ふつうにすごしていることがふしぎで、
まるでぼくだけちがう世界にいるみたいだ。

なにもしていないのに、
とてもつかれた。
心がすごくつかれるんだ。
つかれてつかれてねむって起きて、
パルがいないんだと思う。
そのくり返し。
お母さんはそんなぼくをみて、
すごく悲しそうな顔をする。
悲しいのは、ぼくだけじゃないって
わかってる。
でもどうにもならないんだ。
会いたいよ、パル。
ゆめの中でもいいから、
会えたらいいのに。

でも、おなかはすくんだ。
食べていると思い出す。
ぼくが食べていると、
なにか落ちてこないかと、
いつもテーブルの下で
待ちかまえていた。
リンゴがすきで、
しゃりしゃりという音がすると
すぐにとんできた。
おなかがいっぱいになると、
パルはあおむけになってねるんだ。
はじめて会ったときも、
なでるとうれしそうにひっくりかえって、
おなかをみせていたな。

キュウ！
びっくりした。
お母さんがパルのおもちゃをふんづけた。
「あぁ、ぶうちゃん。
パルのお気に入りだったわね」
お母さんが拾いあげた。
「うん、ぶうちゃん持ってきて、っていうと、
とくいそうに持ってきたよね」
「パルはとてもかしこかったから」

「どこかに行くとき、
いっしょに行こう、って声をかけると、
とびはねて、おおよろこびしたなぁ」
ぶうちゃんの音をききつけてきた、
お父さんがいった。
「うん、おるすばんじゃないって、
ちゃんとわかっていたよね」

「キャンプ、楽しかったな」
「うん、川では大はしゃぎしてたね」
「パルが泳げるなんて、
お母さん、びっくりしちゃったもの」

キャンプはすごく楽しかった。
でも、楽しかったって思うと
むねがギュウと苦しくなった。

「子どものころ、
お父さんが、犬をかうということは、
死ぬまでいっしょにいることだっていったよね。
あのとき、いつかかう犬が死んだことを
想像したら悲しくて、
ふとんの中でないたんだ。
でも、想像なんてぜんぜんおよばない。
お父さんは、
子どものときかっていた
ロクが死んだときは
どうやってのりこえたの？
ぼく、どうしていいか
わからないんだ。
悲しい気持ちがぺったりはりついて、
どこにもにげられない」

「お父さんも同じだったよ。
ロクをとてもかわいがっていたからね。
しばらくはなにをみてもないていたし、
もう会えないんだってわかっていても、
ついロクのすがたをさがしてしまった。
もう二度と犬はかうまいと思ったよ」
「なのに、またパルをかうことになった。
ぼくがほしがったからだよね」
「お父さんも
やっぱり犬がほしいって思ったんだよ。
もうとっくにロクがどこにいるか
わかっていたからね」
「ロクのいるところ？
天国ってこと？」

「ここだよ」
お父さんはむねに手をおいた。
「心の中で生きてるっていいたいの？」
「そうともいうな。
お父さんは、ロクが死んだあと、
頭も心もロクが死んでしまったことでいっぱいだった。
でも、あるときに気づいたんだよ。
ロクとの時間はとても楽しかった。
ロクもきっとそうだろうって。
だから、ロクの生きていたときのことをちゃんとおぼえていようって。
そうすれば、お父さんが生きているかぎりロクも生きているってね。
パルはおまえの一部だよ。
おまえがちゃんとおぼえていれば、パルもいっしょに生きている」
「また、みんなでたくさんパルの話をしましょう」

「そうだね。ぼくの中で、パルを死んだままにしちゃかわいそうだよね。
でも今はパルを思い出すと、悲しい気持ちでいっぱいになるんだ。
いつかそうならない日がくるかな。くるといいな」

ぼくは、自分のむねに手をあてた。
ドクン　ドクン。
ぼくの心ぞうの音。
ぼくのいのちの中に生きていたパルがいっぱいつまっている。

「おいで、パル」

だいすきなぼくのパル。
ずっとずーっといっしょだよ。

スギヤマカナヨ

静岡県三島市生まれ。東京学芸大学初等科美術卒業後、ステーショナリーの会社へデザイナーとして就職。1990年よりフリーランスとなり、アート・スチューデント・リーグ・オブ・ニューヨーク（The Art Students League of New York）でエッチングを学ぶ。『ペンギンの本』（講談社）で講談社出版文化賞受賞。 主な作品に『K・スギャーマ博士の動物図鑑』（絵本館）、『てがみはすてきなおくりもの』（講談社）、『ぼくのおべんとう』『わたしのおべんとう』（アリス館）、『あかちゃんはおかあさんとこうしておはなししています』『そだててみたら…』（赤ちゃんとママ社）、『ほんちゃん』（偕成社）、『おやすみとおはようのあいだ』（めくるむ）、『絵本まるごといただきま〜す！』（子どもの未来社）他多数。

※本書は2004年6月に出版した『やっぱり犬がほしい』を底本とし、
ページを増やし、文の一部を改訂、絵は全て描き下ろしました。

やっぱり犬がほしい

2023年10月31日　初版発行

作－スギヤマカナヨ

装丁－安楽豊

発行人－田辺直正

編集人－山口郁子

編集担当－湯浅さやか

発行所－アリス館
東京都文京区小石川5-5-5 〒112-0002
電話 03-5976-7011　FAX 03-3944-1228
https://www.alicekan.com/

印刷所－株式会社精興社

製本所－株式会社難波製本

ISBN978-4-7520-1074-6 NDC913 64P 23cm
落丁・乱丁本は、おとりかえいたします。
定価はカバーに表示してあります。

やっぱり犬がほしかった！

スギヤマカナヨ

『やっぱり犬がほしい』はもともと19年前に作った本です。小学生のころ、犬がほしくてほしくて両親にうったえ続け、「犬ノート」を作り、犬グッズをあつめ、そしてとうとう4年生のときにわが家にラスがやってきたという実話がベースです。

今回、復刊のお話をいただいた際、ぜひこの男の子と犬との出会いを加えてほしい！ とご提案いただきました。また、この本は反対側から読むと、成長した男の子の話になっていて、これはラスとの別れのときに私が書いたお話が元になっています。

ラスは元気に12さいまで生きましたが、今もくやまれるのは最期のときそばにいてやれなかったことです。

当時大学生だった私の下宿に、とつぜん、母から私の好物がたくさんつまった箱が届きました。喜んで電話をすると「中に手紙をいれたから」と母。そこにはラスが日曜日の昼下がりにねむったまま静かに逝ったこと、その日は私以外の家族がみなそろっていて、父がラスの体をきれいにし、近所の人たちが大勢お別れに来てくれたことが記されていました。そのときはもう一生笑うことなどないと本気で思ったほど泣きました。もう、30年以上も前のことですが思い出すと泣けてきます。

しばらくはなにをしても悲しみが癒えることはありませんでしたが、長い時間の中でラスの命がゆっくり私の一部となり、いつしかラスが生きた日々をなつかしく、愛おしく思い出せるようになりました。

19年前はまだ「保護犬」という言葉が今ほど定着していませんでしたが、現在は保護犬をむかえる人もずいぶんふえ、殺処分ゼロを目指す自治体もふえています。ただ、そのうらでは保護活動をされている方々が休みなく奔走しており、まだまだ解決しなくてはならない問題は山積みです。わが家も2011年に保護犬の茶々をむかえました。今はただ、ラスより長生きしている茶々が元気で、できるだけ長くいっしょにいられるよう大事にすごしていきたいと思います。そして最期のときはかならずそばにいてやりたいです。